Fergus
An tha Stane o Destinie

Frae *Stewart's Metrical Version of Boece's Chronicle:*

> *"To Schip tha went, and syne set fra the schoir,*
> *The wind blew up, the langer aye the moir;*
> *Bayth tow and takill festnit wer all fast,*
> *Within schort quhile yet wer tha all agast.*
> *For Eolus so loud he blew his horn*
> *On thame all nycht long or tother morne, –*
> *In Yrland cost rycht drafflie dyd thame till arryve.*
> *In all that schip eschapt nor ald nor young*
> *But perreist all with guid Fergus thair King;*
> *Efter his name, my storie tellis thus,*
> *That place sensyne is callit Craigfergus."*

Fergus an tha Stane o Destinie
(Fergus and the Stone of Destiny)

Adaptit an owreset tae Ulster-Scotch wi
Philip Robinson

Illustratit wi
Gary Hamilton

Forepictur: *Erick taen tha enn o his stick an liftit this rid cloot frae owre a gye auld lukin freestane.*

For Fergus

ISBN 0 953035 042

This book has been published with the assistance of
a grant from the Arts Council for Northern Ireland.

Printed by W & G Baird
Published by ULLANS PRESS

Note for readers

The spelling of most Scots and Ulster-Scots words which have similar forms in English should provide little difficulty, even for those who have not read any Scots writings before:
e.g. good, stood, door, etc. = *guid, stuid, duir,* etc.

Less familiar spellings will be

(a) the use of ä for English "i" in words such as:

pit	–	*pät*
king	–	*käng*
quick	–	*quäck*
thing	–	*thäng*

(b) the use of a grave accent to indicate a "-tth-" sound in the preceding consonant:

ordèr	–	pronounced [ORDTHER]
dannèr ("stroll")	–	pronounced [DANNTHER]
eftèr ("after")	–	pronounced [EFTHER]
unnèr ("under")	–	pronounced [UNNTHER]

(c) the use of an acute accent to indicate vowel stress or emphasis:

coát	–	pronounced [KOH-AT]
rewárd	–	pronounced [REWAHRD]
ministèr	–	pronounced [MINNYSTHER]

(d) the use of Old Scots spellings such as:

quha	–	"who"
quhan	–	"when"
quhit-wye	–	"what-way"/"how"
quhaur	–	"where"
quhiles	–	"sometimes"/"meantime"
quhilk	–	"which"
scho	–	"she"

Glossary

abain	–	above	lowe	–	fire
aiblins	–	perhaps	maun	–	must
ails	–	troubles, difficulties	muckle	–	much, big
anent	–	concerning	nor	–	than
aucht	–	ownership	norlin	–	northern
ava	–	at all	ootlanners	–	foreigners,
ben	–	inside			strangers
big	–	build	Pechts	–	Picts, Cruithin
biggin	–	building	poortith	–	poverty
billie	–	friend, comrade	racherie	–	large number; large
blaa	–	blow			assorted
blythe	–	happy			collection;
bray	–	heave			unruly crowd
cantrip	–	spell; piece of	raip	–	rope
		mischief	ranner	–	ramble in thought
clod	–	throw	repone	–	answer
cloot	–	cloth	scho	–	she
cried	–	called	scraichin	–	screeching
dochtless	–	useless	sennicht	–	week
doiter	–	walk unsteadily	siccar	–	secure
feck	–	number, part	siller	–	silver, money
ferlie	–	remarkable	skail	–	scatter, broadcast
		occurrence	speir	–	ask, question
fichert	–	fumbled	stramash	–	commotion
freats	–	superstitions	syne	–	past, ago, since
gan, gang	–	go	taen	–	took
gate	–	way	tent	–	heed, attention
heich	–	high	tha mair	–	although
heidyin	–	leader	thae	–	those
heirskip	–	heritage, inheritance	the	–	they
hidlins	–	secret	thole	–	put up with
ilk, ilka	–	each, every	til	–	to
ingle	–	hearth	tryst	–	agreement
jalouse	–	imagine	wast	–	west
kintra	–	country	wheen	–	number
laich	–	low	wrocht	–	worked

FERGUS AN THA STANE O DESTINIE

Chaipter Yin

Erick's Stane

"Wha's aucht tha wee dug?" speired Erick at his sinn.

"He maun belang tae Milchu's yins, fur thar's a wheen o Pechts cummin doon tha brae," reponed Fergus.

Milchu wuz deid this twunnie yeir or mair. He haednae bin feart o God nor Kirk nor mon. Quhaniver thae thängs wuz aa rowed in yin bot, like it wuz wi his umquhile sarvint-lad Petherick, he taen it as a muckle freat. "A'll gie him tha lowes o Hell," quo he, pittin licht til his ain dwallin hoose fur badness. Deil a haet o him cum oot thon lowe. Ithers taen sic a ferlie fur a cantrip daen wi Petherick hissel. Bot aa thon wuz lang, lang syne.

"Ahint, Pit." Yin o tha Pechts cried tha dug bak ahint him. The wur aa oot o breath, thair breists brayin.

Tha mon wi tha dug cum up tae Erick wi nane o tha respeck aye thocht richt amang tha fowks in tha norlin kintra, quhaur bi richts Erick shud a bin käng.

"A jalouse yis ir fur flittin tae Pechtlann, alang wi tha ithers?" he speired, oot o breath yit.

"An quhit's aitin youse?" sez Fergus, wi his faither pu'in him bak wi tha airm.

"Ilka sennicht mair an mair ootlanners cums rinnin owre oor lann wi thair beass, an daes it no be tha same here? Blaa-ins frae tha wast, Owen's boys, an aa youse dae is rin yersels – flit owre tha Dalriadae Sey tae Pechtlann."

1

"An youse is fur fechtin?" sez Lorne, Fergus's brither. "An quhaur'll that get yis? Dae yis no ken we hae mair ootlanners frae Ballyowen leevin amang us nor youse hae, sae quhit ir ye bletherin aboot?" qo he.

"Ye cudnae blame tha maist feck o oor neebours fur flittin." Erick wuznae owre blythe aboot aa tha changes.

Bi richts, thocht Fergus, his faither shud a bin käng o tha fowks at leeved noarth o tha Braidwatter in Antrim, roon Auldstane at least. An Milchu's fowks, tha Pechts, leeved sooth o tha Braidwatter. Quhit richts tha Pechts wuz daen oot o wuz thair ain concarn. Seein as Petherick cum frae tha sooth o Pechtlann tae Ulidia, haed he no bin amang his ain fowk? An tha New Licht at Petherick brung shud a gart thaim aa be aisie minded wi fowks flittin tae Pechtlann – an wi ootlanners flittin til Erick's kintra forbye.

"See us Pechts," qo's tha heidyin wi tha dug, "See thaim wastlanners – Ownsies boys – we cannae thole thaim nae mair. The hae oor guid grun tuk, the hae oor timmer taen fur thair hooses, an noo the'r lukin us tae pit siller up fur tae big thair ain kirks."

"Ay, like as if tha biggins we pit up fur Petherick wuznae guid eneuch fur thair meetin hooses," this wee Pecht wi a baird ca'ed oot frae tha bak o tha racherie.

"Weel," sez Erick, "like ma sinn here speired, quhit ir yis fur daein – ir yis gonnae fecht?"

"We'll fecht afore we rin like youse," cried anither.

"An youse caa flittin til guid lann, amang yer ain guid billie Pechts, rinnin?" qo Fergus.

Erick hell up his haun. "A'll no be flittin. A'm owre auld gat fur that. Bot A'm owre auld gat fur fechtin anaa."

"Nae wunner tha ootlanners is cum here in thair hunners."

Tha big Pecht taen a lep bak quhaniver Fergus raxed his spade an went fur him. "A'll no hae ye taakin tae m' da like thon," qo he.

Erick turnt on his heel an doiterit bak tae tha hoose. "An A'll no hae ma ain kintra pu'ed apairt wi fechtin amang worsels," qo he.

Fornentpictur: *Tha big Pecht taen a lep bak quhaniver Fergus raxed his spade.*

3

Chaipter Twa

Tha Heirskip

At a tim, quhaniver Erick's faither wuz a weefla, the leeved near Glenquhirrie – no muckle far frae Milchu's fowks. Quhiles tha Pechts o tha laich kintra til tha sooth wuz heich kängs o Ulidia, an quhiles Erick's norlin fowks wuz, turn aboot – bot nae mettèr noo.

Yinst, at a tim lang afore aa that, thair kängrick run tha fu lentht o Ulstèr – bot ye darnae even taak o thae thängs afore fowks noo.

"Wud Petherick's fowks no gie iz a bakkin?" the uised tae ax.

"Nae uise speirin thaimyins in Pechtlann," wuz aye tha repone. "Aa the hae mind o noo is tae skail tha New Licht til ilka boadie – an level iz aa til tha yin – this side o tha Dalriadae Sey oniehoo."

"Tha warl's ill divid yit," Erick aye pit in.

Petherick wuz some boy. Yin day he wud a taakit o haein wrocht tae Milchu as a slave, an o his ain fowks haein bin gart wark in Pechtlann as slaves. Than he wud a taakit tha neist day o quhitwye it wuz God taen him – fur tae dae His darg amang tha Pechts an Scotch. He wuz some boy, bot. A man o muckle lear at Milchu cudnae hannle ava. An Petherick wudnae luk near Milchu's dauchter neither – nor onie wumman ava. Quhit soart o a mon wuz he?

Tha same boy Petherick wuznae content wi pittin tha fear o God roon tha shores o Antrim an Doon – quhit the caa'ed tha wastren coast bak in Pechtlann. Aff he went, oot o tha Pechts' kintra quhaur he stairtit in Ulidia, no jist up roon tha norlin coast, bot richt intil tha very hairt o auld Ulstèr fornent Navan, an on yit sooth intae Airlann. Quhiles he wuz driv bak bot an ennit his days bak at Doonpetherick, no owre far frae quhaur he stairtit.

Tha mair Erick's fowks wurnae Pechts, the gien Petherick a bit grun fur tae big a kirk at Airmoy. An the taen tent o his advice anent tha ootlanners frae tha wast cumin fur tae leeve amang thaim. Tha Stane o Destinie wud answer it aa. Quhit wye? Weel, quhaniver Petherick pit tha fear o God in tha ootlanners bak in tha heich sate o tha auld kängrick – quhaur tha Stane o Destinie yinst stuid – he daen a dale wi thaim.

Aa thir thängs wuz rinnin roon Fergus's heid quhaniver tha racherie o Pechts landit in on thaim wi thair wee dug an aa thair taak o fechtin.

Fergus hoult bak tae tha Pechts wuz oot o sicht, dug anaa. Than in he gans ben tha dwallin hoose efther Erick.

"Thaim boys haes me sair annoyed," sez Erick, "Gan bak ootbye an get yer twa brithers tae A hae a wurd wi yis aa."

Fergus brung Lorne an Angus ben.

"Sinns," qo he, "A wuz jist a weefla quhaniver A gien Petherick a promise A wudnae fecht wi onie ootlanners at haed taen tha wurd frae him."

"Ye niver made onie sic tryst in oor naem bot," qo Fergus.

"Tha mair A niver, it disnae faa oot yis maun fecht." Erick taen tha enn o his stick an liftit this rid cloot frae owre a gye auld lukin freestane. "Monies tha time yis hae heerd me taak o tha Stane o Destinie."

"Ay," qo Lorne, "no muckle o a dale fur oor heirskip, gin it wuz gien wi Petherick or no."

"Owen's boys daednae fash thairsels owre tha heid o it oniehoo," Erick sez, "or less we wudnae a gat it."

"A ken Petherick aye ledged it cum frae tha lann o Canaan, wi Jerimiah, an wuz tha yae stane the caa'd Jacob's Pilla. Quha cud say tha richt wye o it bot?"

Angus daednae houl wi sic freats. "Aiblins it wuz. Oniehoo, scho's jist a lump o oul stane."

"Petherick wuz richt bot," sez Erick. "Nane o ma ain fowks wull be made käng less it's on this stane, an tha wastlanners disnae care sae lang as we dinnae mak onie kängs nearhaun til thair ain kintra."

"Nae wunner the daednae mind giein ye tha stane," qo Fergus. "Ye micht as weel say we can hae tha croon bot no tha kängrick."

"Weel, Angus, thar wudnae be muckle differs atween yersel an tha ootlanners gin ye crie Jacob's Pilla jist a lump o an auld stane, an ... ." Erick quat taakin tha minute his guidwife Kirstie cum ben tha hoose.

"Ye'r no rannerin on agane aboot thon oul stane," qo scho. "We'll dee in poortith, bot we'll aye hae somethin tae mak a heidstane wi."

"Yin day ...," stairtit Erick.

"Ay, yin day," qo scho. "Yin day Fergus wull faa intae his heirskip – yer oul lump o stane."

Chaipter Thrie

Fergus's Draim

Fergus gien mair thocht til tha day's daeins nor his twa brithers. Weel, efther aa, he wuz tha auldest o thaim, an haed maist tae loss gin his da left him wi nae heirskip ava – abain a freatie draim o thon dochtless stane.

Tha stane wuznae muckle o a thäng, cut reuch an sut fornenst tha ingle. Quhiles it wuz covert wi a cloot, fur a sate, an quhiles no. It wuz aye wairm bot. Fergus pit his heid doon on it, an, afore owre lang, wuz sleepin.

... Dugs, bi tha thoosan, wuz hiein doon tha brae, like tummlin stanes on an avelanch. Ither dugs, mair big an fierce, cum leppin oot frae aa roon aboot him, yowlin an makin fur tha ither hirsel o wee'r dugs at wuz on tha attack. Scraichin soos wuz flittin ilka airt, coupin buckets an spraichlin owre stane dykes fur tae get awa. Fergus wuz gye feart wi tha dugs an tha hale stramash. Tha soos haed gaithert on tha shore an tha wur in an oot o tha watter, scraichin an splashin aboot. Quhaniver tha dugs cum on him, he stairtit tae clod stanes at thaim. It daednae mettèr bot. Tha dugs wuz aa fechtin amang thairsels.

Fergus tuk til a boát, an tha soos made tae sweem efther him. He wuz siccar an safe noo. Bot he thocht he haed furgot somethin. Quhit it wuz he cudnae mind. Lorne an Angus wur in tha boát wi him.

"A hae brocht ma piece wi me."

Fergus tuk a luk ahint him. His brithers haed a hauf dizzen mair fowks in tha boát. Petherick haed some breid wi him anaa – a wheen farls o haird breid an fadge. "Tak some," qo he til Angus an Milchu. Milchu wudnae touch it.

Fergus hauf kent it wuz a draim, fur Petherick an Milchu wuz deid lang syne. It wuz jist a passin thocht bot.

Pu as Fergus micht, he cudnae budge tha boát. Nae wunner, fur scho wuz tied up yit til a moorin stane. Fergus gien tha raip a pu, an tha moorin liftit.

"Tha fechtin dugs is awa hame," qo Milchu. "We micht as weel gan hame worsels."

Jist as weel, thocht Fergus, fur he near haed tha moorin stane in tha boát quhaniver he seen it wuz tha Stane o Destinie – Jacob's Pilla.

Than he mindit. Milchu haed bin in thair hoose, sweerin an cursin at Erick, lukin the stane tae mak hissel käng on. Fergus haed taen it oot tae tha shore in hidlins, sae as Milchu cudnae pree ocht ava aboot it.

"Oot yis get," went Angus, leppin oot an haudin tha bak enn o tha boát sae as scho wudnae coup. The aa gat oot afore Fergus. Milchu stuid richt on tha moorin stane fur a step an lukit richt doon at it. He maun hae kent quhit it wuz.

Fergus cudnae credit it quhan Milchu waded in tae tha shore wi'oot sayin ocht. Fergus pit his fit owre tha side an intil tha watter ... .

Wi a gunk Fergus wauk up.

It wuz starvin caul, an he wuznae fit tae get up. His airm wuz numb an he haed a sair heid. He wuz dry bot, tha mair he thocht he wuz in tha watter yit. Up he sut slow an aisy. Aaboadie else wuz sleepin in thair ain beds. Nae wunner he haed a sair heid, faa'in owre tae sleep on thon oul lump o a stane.

Noo, thon draim fair scunnered Fergus, fur fowks wuz aye freatie anent draims in thaim days. An wi haein tha draim on Jacob's Pilla, it wuz aa tha waur.

Quhaniver Erick heerd o tha draim, he toul his guidwife quhit Jacob daen – sae as tha thrie brithers cud hear an tak tent.

... Jacob, the say, wuznae tha auldest sinn o Isaac, bot wuz tae faa intae

---

Fornentpictur: *Thon draim fair scunnered Fergus, fur fowks wuz aye freatie anent draims in thaim days.*

his faither's heirskip oniehoo. He wuz gart gang til this far-oot kintra at his mither cum frae, fur tae find a wife. On tha road thar he taen these stanes fur a pilla, sut his heid doon an haed a draim. Thar wuz this lether wi its fit on tha yird an tha tap o it up in tha lift. An angels o God wuz speelin up an climmin doon tha lether. An he heerd tha voice o God tellin him at aa tha laun roon aboot him wud be his heirskip an aa airts aist, wast, noarth an sooth his sinns' heirskip forbye. ...

"A hae heerd aa that afore," qo Angus, "an ye aye laves oot tha bit quhaur Jacob gets up tha neist moarn an taks tha stane he uised fur a pilla an haes it ris fur a stannin stane."

"An quhit wud A lave thon oot fur?"

"Fur thon oul lump o a stane thar wudnae be fit fur a stannin stane, noo wud it?"

Erick wuz sair annoyed wi that dig o Angus's, aa tha mair quhaniver his guidwife lauched forbye.

"Aiblins scho's no Jacob's Pilla, but fur certes scho's tha croonin stane oor forebears uised for makin kängs."

Erick turned til Fergus. "Thar's mair tae yer draim – an thon stane – nor ye think."

Chaipter Fower

Kirstie an tha Boát

Fergus's mither wuznae tha age o his faither. Scho cum frae Pechtlann hersel lang syne til get merriet on Erick quhan scho wuznae mair nor saxteen. Ye wudnae ken noo at scho haednae bin boarn an raired in tha norlin airts o Antrim, bot Kirstie aye mindit her ain fowks an thair wyes.

Quhiles scho thocht bak on tha day scho furst cum tae Erick's kintra. "Aiblins ye micht be quaen o Ulstèr yin day," her ain faither cried til her quhaniver tha boát pit oot tae cross tha Dalriadae Sey. Weel, this storm gat up, an Kirstie thocht scho wud niver see her guidmon-tae-be, niver mind her faither, agane. Scho wuz that blythe fur tae get owre in safetie at scho haed a stane meetin hoose biggit near quhaur tha boát cum in, jist tae gie thanks. No that scho wuz owre gospel-greedie, ye ken, bot tha heich heid-yins daen that soart o a thäng in thaim days.

Fur yeirs Kirstie wuz sure Erick wud be made käng, or less tha baith o thaim wud flit tae Pechtlann.

Noo it luked like aaboadie else wud flit, an scho an Erick wud be left thair lane. An tha mention o thon oul stane wuz eneuch tae ris a muckle storm o her ain.

Jacob's Pilla or no – an Kirstie gien thae freats nae quarter – scho thocht at mebbe, jist mebbe, tha Stane o Destinie cud be God's repone til her prayers.

Twathie days efther Fergus haed his draim, Kirstie brung tha thäng up agane.

"Ye mind yer draim, Fergus," qo scho. "A wuz jist thinkin on it, an Jacob's draim forbye."

Kirstie toul her thrie sinns at the maun gang tae Pechtlann in tha boát, an tak tha Stane o Destinie wi thaim.

"Jacob," scho sez, "wuz gart gang til his mither's kintra fur tae find a guidwife, an gat twa fur tha price o yin. An he made this tryst wi God tae big a meetin hoose quhaur he haed his draim, an God made a tryst wi him at he wud faither a feck o sinns an dauchters an mak his mither's kintra his ain heirskip."

"An cum bak til his faither's kintra anaa," Lorne sez, haein mind o tha fu tryst.

"Nae mettèr aboot that," qo Kirstie.

Tha yae thäng left o aa her ain draims wuz an auld guidmon, an auld hoose an thon auld stane. Her thrie big sinns cud bear tha gree bot. Aiblins, mebbe, jist mebbe.

"Fergus," scho went, "you maun tak tha lead, fur you haed tha draim."

Bak in Kirstie's ain kintra, tha weeminfowk wuz tha heidyins in aa sic daeins o heirskip an spaein. Tha thrie boys wurnae ettled on sic gates, an wi Angus merried hissel aareadie, the thocht the wud ast thair da his mind.

"Yer ma gies nae mair credit tae freats nor A daes," reponed Erick. "Aa scho's lukin is tae tak tha boát hame hersel. An quhit wud A dae here ma lane?"

Fur monies tha yeir efther Fergus's draim, naeboadie bot his mither thocht on it. Naeboadie taaked o flittin fur fear o giein Erick an upset, an naeboadie taaked on tha stane fur fear o daein tha same wi Kirstie.

Kirstie wuz gye auld got, an owre thran gettin in her oul age. Scho haed taen a scunner agin her guidmon anent tha hale daeins. Frae Fergus's draim, scho wuz tha yin at tuk care o tha stane, no Erick. An aa day lang scho wud bake breid, mair nor the cud ait. Tha menfowk daednae fash thairsels wi aa tha waste bot. Tha reek wuz guid frae aa tha bakin, an it wuz thar aa tha time. An thar wuz aye eneuch tae fatten weel tha soos.

Fornentpictur: *Quhiles Kirstie thocht bak on tha day scho furst cum tae Erick's kintra.*

Chaipter Five

Tha Ails o Fergus

Wi his draim lang forgot wi aa barrin his mither, Fergus tuk bad yin wunter. It wud a bin mair nor twa an twunnie days intil Aprile afore Fergus wuz nae mair bedlar wi tha caul an owre his ill-wunterin. Wantin fur tae be up an ootbye agane, he fichert wi his breeks til mak a stairt. Aa forenoon Fergus gloumit an froumit owre nocht ava, save quhit gate his life micht tak.

Forbye fearin he wuznae fur faa'in intae onie tocher frae his faither, ilka airt he tuk wuz mair ill nor tha last. Thar seemed nae enn til his troubles. Richt eneuch, tha maist o thae he brung doon on his ain heid. Tha middle o tha nicht wuz tha waur, fur he aye tuk it bad quhaniver he cudnae get tae sleep. Quhit wuz he sae wakerife an in bad soarts fur? Wuz he no weel, or wuz it aye this wye wi ilkaboadie quhan the got tae his age? Itheryins haed troubles o thair ain, tha mair wi Fergus he daednae jalouse the wur as sair daen by as hissel. Oniehoo, thae ither fowks he kent kythed nae cares ava. He thocht on aa his ain forebears an wunnered gif the froumit and gloumit quhan the haed loast ocht.

Tha door dairkent as Fergus's faither cum ben.

"Quhit wye ye fettlin noo?" qo he. "Maun A dae aa tha darg roon here masel theday agane?"

Frae tha side o yin ee, Fergus gien his faither a keek. Up he gat an doitered ootbye intil tha close.

Quhit a place. Caul, wet an rattan. Forbye aa tha jabs wantit daen wi his faither, tha hale place wuz clartit. An tha best he cud hope fur quhan his faither haed his day wuz aa this.

Furder doon tha close by tha slap fornent tha brig, he minded quhit wuz in his wakerife heid durin tha nicht. It wuznae a draim, fur he near greetit an draims is aye fu o hope. Abain tha slap an tha wee burn unner tha brig wuz his tocher an heirskip – the fairm midden. Erick micht see hissel as heid o Dalriada, gif no its croonit käng, bot tha ootlanners daednae. The daed gie him a kind of respeck, whiles, bot Fergus niver seen ocht o it. He micht as weel be laird o tha midden.

"Tha cock aye craas croose on its ain midden" wuz yin o his mither's auld saws. This midden wuznae ocht tae craa croose aboot bot.

Ayont an abain tha close he cud see owre tha Dalriadae Sey, an he thocht yinst mair on flittin.

"Can A no even lippen on ye fur tae soart tha sluice oot yersel?" Erick cried at his sinn. "Dae ye think thae aits is fur gristin thair lane?"

Sprachlin doon tha brae fornent tha brig Fergus cum til a stap agin tha sluice stang. Scho wuz leakin mair nor afore, an maist o aa frae tha airse enn. Aa tha timmer wuz rattit – jist like a wheen o tha door an windae heids bak at tha fairm biggins. Sure thar wuznae onie guid timmer tae be haed fur miles roon aboot.

He haednae pit his mind tae flittin afore tha noo – no serious-like. An no wi mair an mair o thaim thar Ballyowen yins lukin lann tae rent mairchin on his ain.

"Quhilk o thaim boys ats noo labourin tha auld fairm at Ballyowen wud ye turn yer bak on?" Fergus thocht til hissel. An he wuz aye starvin caul these days. He ettled on restin aisie owre tha watter wi as monie o his brithers as wud cum.

Fergus kent weel quhit he maun dae, an his hairt wairmit. Quhit haed his fowks left Ballyowen fur aa thae yeirs syne? Mebbe yin o his fore-bears seen a licht frae thar forbye. Bot his faither's hairt wud aye be bak here, or even bak in Ballyowen quhaur he niver leeved.

Fowks wuz aye flittin bot, an deil tha yin haednae a sair hairt aboot thair hamelann.

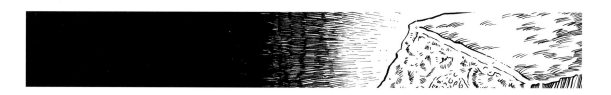

Chaipter Sax

Tha Hairst Flittin

Frae thon day Fergus seen tha shaft o licht on the bog-bitterns o Ailsa Craig, he thocht he wuz free o aa his auld ailments. Deed he tuk it fur a spae thon day. Nane o his wants wud fallae him, no even frae tha noo tae he flittit. Quha aa wud flit wi him bot? An forbye, tha much his brithern at wud gang, sae muckle lann wud faa til thae glipes frae Ballyowen. Jist fur noo bot, thar wuz tae be nae taak ava o thair leavin. Fergus haed fixit fur tae lie leich on tha fairm tae tha bak enn o tha yeir. Quhaniver tha hairst wuz by, an afore tha coarn wuz gristit, he wud pit it aa in tha boát alang wi tha yae stane wantit fur tha gristin. Thon kirn wud be tha last hairst supper at Fergus wud hae at hame. A wheen o boys frae Ballyowen wuz sure tae be sut wi Erick's yins unner tha last sheaf at tha kirn thon nicht. Aye mair nor hauf-fu, an wi nae dacency, the wud gang aff bak tae Ballyowen bloutered – an nane tha wiser aboot tha flittin.

It wuznae Erick's lann tha boys frae Ballyowen wuz efter, bot it wuz nane ither than tha coarn mill the uised tae grist. It wuznae muckle o a mill, jist a paddle wheel dunked in tha burn an wi twa stanes driv agin ither abain tha daeins.

Oniehoo, Fergus cudnae tak tha watter wi him frae tha burn, an he cudnae tak tha yird frae unner tha coarn. Quhit he cud tak wi him bot wuz tha coarn jist in, an tha millstanes.

Twa an twunnie days gaed by afore tha Dalriadae Sey wuz lown eneuch fur tae cross. A wheen o boys frae Ballyowen wuz morrowin at tha reapin

---

Fornentpictur: *Quhan the wur echt mile oot, Fergus seen his faither tak yin mair luk bak.*

yit. Fergus tuk tha very last clump o stannin coarn an braided it thegither intil tha kirn (quhit tha pagans aye caa'ed tha carlin). Fur tha last bit o spoart, tha boons at tha kempin cloddit thair heuks at tha carlin tae free tha auld doll. Fergus near haed her cut aff quhaniver tha heuk o yin o tha Ballyowen boons skelpt tha kirn up heich an cut throo tha braidin. Wi anither heuk tha same boy, Gawn by naem, haed tha kirn cut aff richt an scho couped owre. "A hae tha calliach," Gawn guldert. He barged ben tha dwallin hoose wi tha kirn abain his heid. "A hae tha calliach yit," qo he.

Fergus daednae seem tae mind. A gye unco daeins some thocht, fur it wuz aye Fergus wun tha kirn hame, like he beared tha gree wi ilka kempin. Fergus haed his mind set on bearin anither gree bot, an yin at wud change historie. Tha brithers daednae speir ocht at Fergus. The kent weel this wud be tha last hairst supper the micht aa spenn at hame.

The Ballyowen boys et wi Erick an tha thrie sinns thon nicht, unner tha last sheaf at tha kirn. The gaed back til Ballyowen nane tha wiser aboot tha flittin bot, fur the wur aa stotious fu.

Quhaniver tha hairst wuz daen, afore tha coarn wuz aa gristit, it wuz pit intae tha boát alang wi tha millstanes fur daein tha gristin. An Fergus tuk tha Stane o Destinie frae tha dwallin-hoose anaa, an pit it in tha boát alang wi tha millstanes. Naebodie barrin Erick seen him dae that, an Erick smiled fur tha furst this lang time.

"We'll jist tak tha millstanes forbye," Erick haed went tha nicht afore. He kent at gin it wuznae thair lann tha ootlanners wuz efter, it wuz tha milne hersel.

Thrie an twunnie days intae wunter-tim passit afore tha Dalriadae Sey wuz lown eneuch fur tae wun owre. Quha aa wuz fur cumin alang wi Fergus an tha brithers, an tha brithers' guidwifes an weans? Erick wuznae fur gangin yin minute, than he wuz tha neist. Kirstie, Fergus's mither, wuz aye fur flittin, bot deil a haet cared scho gif her guidmon wuz cumin wi her or no.

Erick wuz tha last tae vacate tha dwallin-hoose, an tha last tae get in tha boát. Tae that minute Erick wuznae sure hissel. Thar wuz nae turnin bak noo bot.

Wi nae swell ava it taen baith Fergus an his brither Lorne tae gie the boát a launch, an aa tha loadenin tae tha forrit enn. Fur fear o coupin her tha twa brithers beed tae lep in tha boát thegither. Wunter or no, thar wuz nae wunn ava, an the wur gart oar it owre tha hale road. Erick taen tha tiller abak o tha boát, an sut his een on tha muckle craig the aye kent tae be an auldrife lannmairk on tha tither side.

A wheen o craws birled in tha lift abain, an Fergus haed mind o tha birds at he seen in tha shaft o licht thon day at hame. Gif the wur a spae thon day, than tha birds wuz a spae theday anaa.

Quhan the wur echt mile oot, Fergus seen his faither tak yin mair luk bak. The cud see abain tha hame fairm at Milltoun, up an ahint til tha auld fairm o Ballyowen, an furder yit. At hame the cudnae tak aa that in on tha yin view.

Straucht up frae tha kill-hoose o tha milne, a colleum o reek riz like a sally rod. Fergus haed pit a licht til tha easins o tha theekit roofs o tha mill afore pairtin.

Nae ither boadie seen tha shaft o reek, an Erick niver said ocht tae the wur that far oot ye cudnae see quhit wuz alowe.

Tha watter wuz that lown it wuz like a lukkin-gless. Mair waesome nor blythe tae be awa frae hame noo, Fergus thocht lang on tha mill-toun. He haenae tha hairt tae pit a torch till tha dwallin-hoose forbye tha kill. Cud be aa his ain fowk wud be bak yin day. Oarin on, he kepp tha bak-enn o tha boát in line wi tha shaft o reek. Erick's een wur on tha lannmairk rock, bot thar wuz nae shaft o licht on tha roack thon day.

Chaipter Seiven

Tha Trystit Lann

Quhan tha boát cum in, an auld miller billie o Erick's – some freen o Kirstie's fowks the caa'd Lexie – wuz at tha shore o Kintyre wi twa man-servanns an an oul garron. Lorne an Angus brocht tha ark o meal an tha begs o coarn on tae dry lann straucht aff, an Fergus taen tha haun o tha miller fur tae gie him tha miller's grup an wurd.

"Dinnae shift thae stanes yit!" Lexie cried at Angus quha wuz ettlin on cleekin tha garron til tha boát fur tae pu her ashore. "Ye'll micht can get tha boát up Petties Creek tha lenth o oor mill!" Tha mill-stanes wuznae tae be hoised oot o tha boát afore scho wuz brung up til tha tail lade o Lexie's mill.

New stanes wuznae a muckle price fur a guid bit o lann fornent tha mill, an wi a racherie o stane waa heids an fittins guid tae big a hoose wi.

Lexie tuk owre tha hale operation. "Scho can sut here tae tha moarn," qo he, "tae tha tide is richt." Fur tha noo he gart tha garron an sarvints get tha boát airselins pu'ed weel abain tha heich watter mairk.

"Thon's gonnae tak some biggin fur dwallin hooses fur aa us," sez Fergus, stuid wi his twa airms on his hurdies haein a squaat at tha waa steads. He wuz that keen bot, he cud a made a stairt on it richt awa.

"Ye micht weel be rairin tae gang, bot we'll soart aa that oot themorra," qo Erick.

"Ay, cum ben tha hoose an get yer male's mate afore dailigan," qo Lexie, takin thaim by tha mill wi'oot anither wurd.

Fornentpictur: *Lexie tuk tent that Fergus haed an ee fur his dauchter ilka time scho gaed oot or cum ben tha chaummer.*

Quhan tha mirk cum thon nicht, the wur aa sut roon Lexie's ingle alang wi yin o tha sarvints, an his guidwife, an his dauchter, Broana.

"A'm past sleepin masel," Fergus sez quhaniver the mate wuz aa et, an tha crack wuz daen forbye.

Lexie tuk tent that Fergus haed an ee fur his dauchter ilka time scho gaed oot or cum ben tha chaummer.

"Is yer sinns aa married noo, Erick?" qo he.

"Ay, aa bot Fergus," Erick reponed. "An yer ain?"

"Ma auldest shud be a faither shuin hissel." Lexie taaked slow sae as Fergus wud tak it in. "An he's near readie fur tae tak owre tha mill frae me."

He waited on Broana laivin tha chaummer afore he went on. "An tha mon as gets married on oor Broana maun hae his ain fairm o lann."

Fergus wuznae sure quhit he wuz sae blythe fur. He haed taen til tha wee bit o kintra he haed seen, an tae tha twathie fowks he met. But he cudnae get Broana oot o his heid.

Thar wuz nae road Erick an tha thrie sinns an aa thair wifies an weans cud stap owre lang wi Lexie oniehoo. An tha bit o grun gien thaim wuz jist fit tae keep tha yin femilie. Aiblins yin femilie alang wi tha mither an faither, bot naethin mair. Quhan the cum tae taak aboot it, Fergus thocht he cudnae bide fornenst Lexie's mill.

"A'm A no tha miller in oor hoose, an twa mills rinnin agin yin anither wud niver dae," quo he.

"Weel, ye hinnae gat millstanes nor ocht here oniehoo," sez Erick.

"Mebbe no, bot A'll mak a guid leevin at tha kye oniehoo."

Erick lauched, fur Fergus haed nae mair notion o rairin kye nor sweemin hame.

Broana's mither, a muckle fower-fit-saxer in heicht, like tha maist o tha Pechts o her kintra tae tha sooth an aist, lut on her guidmon. "Mon," quo Marie, "wud ye tak tha very millstanes frae yer ain kinfowk an thaim cum here wi naethin ither ava?" Scho turned tae Fergus. "We'll no let ye gang wi nae millstanes fur tae get ye stairtit," qo scho.

"A winnae tak ocht gin A cudnae cum bak fur mair," sez Fergus, ettlin no tae luk at Broana – "A mean, cum bak *wi* mair – fur tae settle up, ye ken."

"Ach sinn," sez Marie, jookin at her dauchter, "you jist cum bak here onietime, yinst ye'r settled."

Fur a wheen o towmonds, Fergus cudnae think o ocht ava nor tha sicht o Broana at Lexie's mill thon furst nicht. Thae thochts wuz quhit driv him on til mak a new stairt wi hissel aistlins in Marie's hame kintra. An it wuz tha thocht o Lexie's dauchter at gart him sowe an growe, an big an dig, tae his leevin wuz bien eneuch. Aa he taen wi him wuz twa sarvint-men loaned wi Marie tae vouch fur him, an twa oul mill-stanes o Lexie's, an tha Stane o Destinie – fur a guid luck fit-stane quhan he wud big his ain new hoose. Tha twa sarvints hied bak hame wi a message fur Lexie – the maun be sent bak by Lexie tae Fergus wi onie wittens o his dauchter gettin merried, fur he wuz lukin tha furst inlat wi her hissel.

Angus an his fowks biggit an laboured fornenst Lexie's mill tae his faither an mither haed thair day. Efter that, Angus's weans grew up an raired thair ain aa roon tha same airts. Syne the haednae onie mair grun nor tha isle o Islay.

Lorne an his fowks? Weel, norlins the flittit tha lentht o Ardnamurchan, tae kintra as wuz aa roacks an clints. The made thon kintra thonner thair ain bot anaa.

Tha mair aa thrie brithers wuz roadit tae different airts an pairts, the aye foon thairsels leevin amang ithers frae tha hame kintra – bot niver a thocht haed the o flittin hame.

Quhaniver Fergus furst cum til his new kintra it wuz fu o fowks frae hame anaa. No jist thaim bot, fur thar wuz maistlie Pechts an ither soarts, an even fowks at ledged the wur kinfowk tae Petherick. The tuk mair intherest in tha Stane o Destinie he brung nor his ain fowk daen at hame.

"An quhit ir ye fur daein wi it?" the axed, fur the cud unnèrstann bringin millstanes, bot no tha tither.

Fergus taul thaim tha hale storie o tha stane o draims, an the seemed tae tak it mair serious-like nor onieboadie afore.

"A'm fur pittin it at tha fit o ma new dwallin-hoose," qo he, "fur a foond, ye ken."

"Wud ye no bettèr pit it at tha foonds o yer mill-hoose?" speired Gawn, yin o Broana's mither's fowks at Fergus haed cum tae bide wi tae he wuz sut up hissel.

"Thon's a guid yin you sayin that," qo Fergus, "fur naeboadie gien it a thocht afore barrin m' da."

"An quhit wuz it he said?"

"Qo he, 'Tak that oul stane an mak a kirk or a mill o it, fur nae ithers naes need o it'."

"Thon's jist an auld saw bot – mak a kirk or a mill o it. It means jist dae quhit ye like," sez Gawn.

Fergus thocht lang on tha stane, an quhaniver he made a stairt on biggin his dwallin-hoose, he niver uised it. Mebbe in tha waas o tha mill, he thocht. Or aiblins in tha fittins o a meetin hoose gin he iver gat catched up in tha biggin o a kirk.

Chaipter Echt

Wairm Lann, Wairm Hairt

Fergus wuz a guid fower yeir afore he wuz richt settlet in an his biggins biggit. An he niver restit tae he wuz. Tha stane? Weel, it niver wuz pit intae tha waas o onie hoose ava. Tha resydenters o Fergus's new kintra wuz owre freatie fur tae hae that. The made muckle o it, an tha bigger a thäng it gat, tha bigger a mon Fergus cum.

Yin day, wi tha midsimmer sin heich in tha lift, he sut hissel doon tae hae a guid luk roon aboot him. He haednae tha time tae noo til feel lonesome leevin his lane. Tha sin wuz wairm on tha bak o his heid, an deil a shift tha gress gien wi nae wun. Tha roacks an tha bushes aa throughither lukit bricht an bonnie. An he haed mind o Broana yinst mair an his hairt gien a lep.

"Leeze me on these parts," he thocht. Blythesom he wuz, an fair set on stappin like it.

Wi nae wurd frae Broana these fower yeir or mair, time wuz richt fur tae senn fur her. That wuz tha dale, he thocht, an aaboadie in this kintra as wuz Pechts ledged Broana's mither Marie haed tha mither-richt tae tha croon o tha kängrick here, quhaur scho cum frae. An that wuz quhit the wudnae let Fergus big tha Stane o Destinie intil a waa fur – the darnae dae that gin the haed want o a croonin stane.

Sae wurd wuz sent tae Lexie an Marie at Fergus wuz weel sut up in a bien hame an mill o his ain, an thair auldest dauchter wud be quaen o Marie's hame kintra gif scho wud cum an be Fergus's guidwife.

Hairst cum an went, bot nae sicht nor soon o Broana. Wunther-tim cum, an nae sign yit. Tha guid hairtsome feelin wuz near awa frae Fergus alang wi tha simmer sin quhaniver he gat tha biggest scunner iver.

Lexie's an Marie's auldest dauchter cum up tha loanen yin day tae Fergus's dwallin-hoose. It wuznae Broana bot. Fergus niver thocht fur yin minute Broana wuznae tha auldest. Quhit a gunk. Scho answered Broana bot, wi tha same lang riddie-blak hair an tha same wye o smirkin.

"Yer new guidwife hae," sez yin o tha boadies alang wi her.

Quhit cud a boadie dae? Fergus gien a waik wee smile an stuttered oot, "F-fair faa ye – bot – eh?"

"The caa me Leena," qo she, wi her heid liftit heich.

"Ach ay, Leena," qo Fergus wi his mooth hung laich like a coof.

Monies tha mon wudnae a gat merriet on tha wrang dauchter like Fergus daen. Bot he cudnae affront her afore tha hale kintra. Oniehoo (an this wuz a thocht he haed monies tha time efther), scho wuz ivery bit tha guid-luker Broana wuz. Hooaniver (an this wuz anither thocht he haed monies tha time efther anaa), scho haed a shairp tongue in her heid that he niver heerd frae Broana. Siccana wye o giein oot commauns wuz jist quhit he jaloused wud be richt in a wumman raired tae be quaen.

Fergus an Leena wuz blythe eneuch tha neist twa-thie towmonds. Noo an then bot, he wud wunner quhit Broana wuz daein, tha mair he kent sic thochts wuz wrang. Aiblins he cud hae twa guidwifes, fur thon wud happen noo an then wi big fowk in this kintra. Quha wud gie wurd tae Leena bot? Quhiles, quhan he haed sic thochts, his chollers cum oot in beelin sairs, quhiles richt doon his thrapple. Nae chaunce o coortin a new wife lukin like thon. It maun hae bin a punishment? Mebbe no.

"An quhit hae you bin up tae?" Leena wud go quhan his sairs cum on him.

By tha time Fergus an Leena wuz merriet twal yeir, he wuz coontit käng o tha hale kintra plantit wi his twa brithers an hissel. Frae roon that time the flittit up noarth fornent Lorne's kintra an biggit a new hame at Dunstaffnage. Bot his sairs wuz aye on him, an aa thochts o Broana awa lang syne. No owre ocht comfort fur bein tha heich heidyin o tha new kintra.

Fornentpictur: *"Tak him tae tha Abbacie, Dear knows he haes want o kirkin."*

A sorry sicht he wuz, sut like a leper his lone in tha simmer sin, ettlin on thae bricht an blythe days lang past. Tha brithers daednae bother wi him, nae mair nor yinst a yeir wud the cailyie wi him, an the aye thocht gif bein a leper wuz tha coast o bein käng, weel, Fergus cud keep it. Mair like thon croonin stane wuz cursed nor a Stane o Destinie.

Leena's sister Broana wud cum tae cailyie mair aften. Aiblins scho tuk pity on Leena; fur certes scho haednae onie notion o Fergus nae mair.

"An quhit wye ir ye noo?" scho aye speired quhan scho furst cum tae stap owre.

"Middlin," Fergus aye reponed: he aye wuz waur gat bot.

"Ye shud gan an get thae sairs seen til," qo scho this time.

"It's aa richt fur you," Leena sez. "It taks a lang while fur iz tae get oor darg daen, tha mair we hae yins bringin mate an thängs."

"Bot quhit soart o a life wud it be bidein here we aa yer wants an nae poustie?"

"An quhit wud you dae?" speired Leena, wi Fergus sut in tha ingle neuk, houlin his wheest but giein muckle lug.

"Tak him tae tha Abbacie. Dear knows he haes want o kirkin."

Leena barged her. "A'll hae ye ken oor Fergus haes nae mair want o tha kirk nor onie mon in this kintra. Dae ye no ken he wuz made käng in tha sicht o God, an on tha very stane ...".

"Hae it yer ain gate," sez Broana.

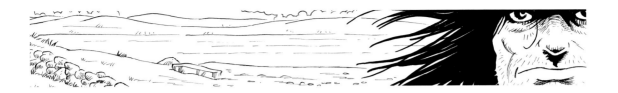

Chaipter Nine

Awash on tha Roack

Fergus cudnae tak onie mair. Up he gat frae quhaur he wuz sut on tha very stane the wur taakin aboot, an tuk houl o his airn bar he uised fur a staff an whaled it roon an roon his heid in tha middle o tha chaummer.

"Redd tha hoose o aa these skitters afore A tak thair heids aff!" he guldered.

Leena hied her sister an aaboadie else ootbye. Scho wuz feart o Fergus hersel, bot scho kent him weel eneuch tae ken he wudnae gie onie hairm til Broana.

"Ye shudnae taak o Fergus's ailments like he wuznae sittin thar. He's no gaun daft, ye ken," qo scho til Broana ootside.

"Hoo cud ye leeve wi thon mon, niver mind hae his weans?" qo Broana.

"Quhit dae ye mean? Fergus is mair o a mon nor onie you hae iver haed daleins wi!"

"Ye'r some wumman, Leena, at cud gang near him wi his beelin sairs aa owre him, an wi an unco temper forbye. Sure he wud pit tha fear o God intae onie wumman."

Trowth wuz, Fergus pit tha fear o God intae aaboadie. Frae he wuz made käng, he wuz gart fecht tae haud his kängrick, an mair tae mak it growe tae he wuz at tha heid o tha hale o Dalriadae. Lorne an Angus haednae tha same bother in thair pairts o tha kintra, fur thar wuznae ocht bot moontains ayont thair norlin haudins. Fergus wuz aye fechtin wi onieboadie at cum near eneuch tae faa intae his notice. An that went fur fowks bak in tha norlin pairts o Ulstèr anaa. Fergus wuz käng o aa

Dalriadae, on baith sides o tha sey, an tha very sicht o his face gien an unco scaur tae tha hairts o his faes. Jalouse tha feardies in battle, yeirs syne, quhan tha sicht o Fergus wi skin like a monster wud be eneuch tae skail tha tither sodgers like glarry watter frae a birlin wheel.

Oh ay, Fergus wuz a big mon richt eneuch. He haed ilka thäng a boadie cud draim o. Deed, he haed ilka thäng he haed draimed o, on tha stane, an he haed tha stane itsel yit sae as his sinn cud faa intae tha same heirskip. He wuz as waesome an miserable as ocht bot. Wittens o fechtin amang his ain fowk bak in tha auld kintra cum near ilka sennicht. Quhit gif he cudnae houl his kängrick thegither tae his sinn wuz auld eneuch? An quhit gif his sairs gat that bad he cudnae fecht nae mair? He haednae felt a saft blytheness in his hairt frae that quhile he wuz a weefla an draimed o aa that micht be yin day.

Tha thocht that aa he haed wuz acause o twathie freats anent an auld stane, an acause o haein gat merriet on Lexie's an Marie's auldest dauchter, wuznae fur giein him a hoise. Na, aa he haed wun fur hissel wuz his bad skin, an a wheen o kinfowk as wuz ascared o him.

Fowks aye sut him up agin Petherick, an ledged he wuznae hauf tha mon. Quhit haed Petherick daen tae be siccana big mon bot? He niver wuz käng o ocht.

"Wud ye no gie up yer croon fur a guid poustie life wi nae scaibs on ye?" Leena speired yin day.

"Dinna taak daft, wumman," qo he. "Quhit soart o a speirin wud that be? A hinnae nae choice in tha mettèr."

"Aaboadie sez it maun be a judgemenn on ye frae God fur yer wrang daeins."

Fergus riz tae his feet, alang wi his temper at riz wi him. Dangard his sinn gart him sut doon syne, bot Fergus wuz up an makin fur his guidwife agane. He lukit at Leena, syne tae his sinn, an frae yin tae tither. Oot tha hoose he hied, an niver quat rinnin an sweerin tae he cum til tha shore.

Fornentpictur: *Fergus wuz bucked clain oot o tha boát ontae tha roack.*

Oot owre tha sey he lukit, an thocht lang on quhit his guidwife haed in her heid. Aa thae towmonds lang syne, quhaniver he haednae ocht ava. An his hame kintra, an thon accursit Stane o Destinie.

Aiblins Leena wuz richt. Ilka thäng he draimed o wuz his, forbye guid halth an blythe days amang freens. Yin thäng fur sure bot, he wudnae gie thaim tha plaisure o seein him gang tae tha halie wal in tha Abbacie. The wud tak sic a kythin fur a sign o waikness, an mebbe that he wuz kirk-greedie gettin.

He sut on tha shore, lukin oot athort tha sey tae tha kintra he haed cum frae aa thae yeirs bak. An a shaft o licht catched his een way doon soothlins owre on tha Ulstèr shore.

"Tha halie wals owre thonner," he thocht. "Tha very thäng."

Naeboadie ava wud ken quhit he wuz gangin fur. An he pit mair faith in thaim nor tha freats o tha auld monks roon aboot him here.

"Petherick qo this, an Petherick qo that." He haed perfit mind o quhit yin o thaim taakit o.

"Fergus," qo he, "ye maunnae gang bak tae tha kängrick at Petherick deed in. Stap here gin yer lukin a cure. Yer Stane of Destinie is tha warrant o yer name leevin fur aye. Gang bak an ye'll dee on a muckle stane at cannae be taen awa."

Fergus pit tha boát oot tae sey wi twa-thie sarvints. Broana seen him aff, no kennin quhit he wuz ettlin at, though scho jaloused it wuz somethin big. In her hairt o hairts scho hoped he wuz efther a cure.

Tha Roack, quhiles caa'd tha knock or craig or carrick, raxed oot intae tha sey wi a wal o sweet watter richt at tha tap. He seen it monies a time though it wuz tae tha sooth o his faither's auld kintra, in quhit wuz Pechts' kintra yit. Tha wal wuz a weel-kent cure fur lepers, an wi monks nearhaun frae Petherick's day, it wud be siccar eneuch.

Tha watter wuz lown quhaniver he pit oot.

An aff the tuk.

Fergus wuz queeit. He wuz lukin a cure mair nor oniethin else ava. Tha twa sarvints tuk nae tent o him as he stairtit tae blether tae hissel.

"Jist mak it wark, jist mak it wark," he guldert oot tae tha whaps abain in tha lift. He went queeit agane fur a bit. Than he cried, "Gin ye dinnae mak it wark A'll jist stap owre an bide tha rest o ma days in Ulstèr." Tha twa sarvints lukit at yin anither.

The wur jist cummin roon bi tha blak heidlann, quhaniver tha stoarm brok oot.

"Fair forrits noo, keep gangin; dinnae loss yer nerve!" Fergus cried abain tha bloutèr.

Tha nearer the cum tae tha roack wi tha wal, tha rucher tha stoarm gat.

Afore the cud see it, the wur on it. Quhit a stramash. Timmer, raips, claes, claith, an watter, iveryplace. Fergus wuz bucked clain oot o tha boát ontae tha roack. He mintit tae speel oot o tha reach o tha clashin sey. A muckle jaa cum bot an pu'ed him doon intae tha whit watter.

The wur aa droondit. Ilka last yin o thaim.

A michtie thrang gaithert roon tha shore quhan wurd o Fergus's droonin wuz skailed roon tha kintra. Halie men cum frae Monkstoun, jist a wheen o mile tae tha wast.

"Fergus's kängrick wasnae jist Dalriadae, ye ken," yin oul fella caa'ed oot. "He wuz crooned on tha Stane o Destinie, an beed tae be käng o aa Ulster forbye, no jist tha lanns tae tha noarth."

"Quhit maun we dae wi tha corps?" qo anither.

"He maun gang bak tae Scotlann, an be pit tae rest quhaur the Stane o Destinie is."

"Na, a stane is aisie shiftit."

"Ay, it cud be brung bak aisier nor hae Fergus's corps taen tae Dear knows quhaur."

"Sae maun it be," qo tha heidyin o tha monks. The taen Fergus til tha kirk at Monkstoun, near Carrick, an tha Stane restit in Scotlann.

Fur mair nor a thoosan yeir, nane o tha line o Fergus wud bide on tha Ulstèr side o tha Dalriadae Sey. Bot fur aa that, an theday yit, tha line o Fergus haes hauden tha croon owre tha Coontie o Carrick an ahint. Tha Stane o Destinie michtnae hae cum bak wi Fergus, bot tha roack he wuz drooned on is lang syne caa'd tha Roack o Fergus, or Carrickfergus.

33

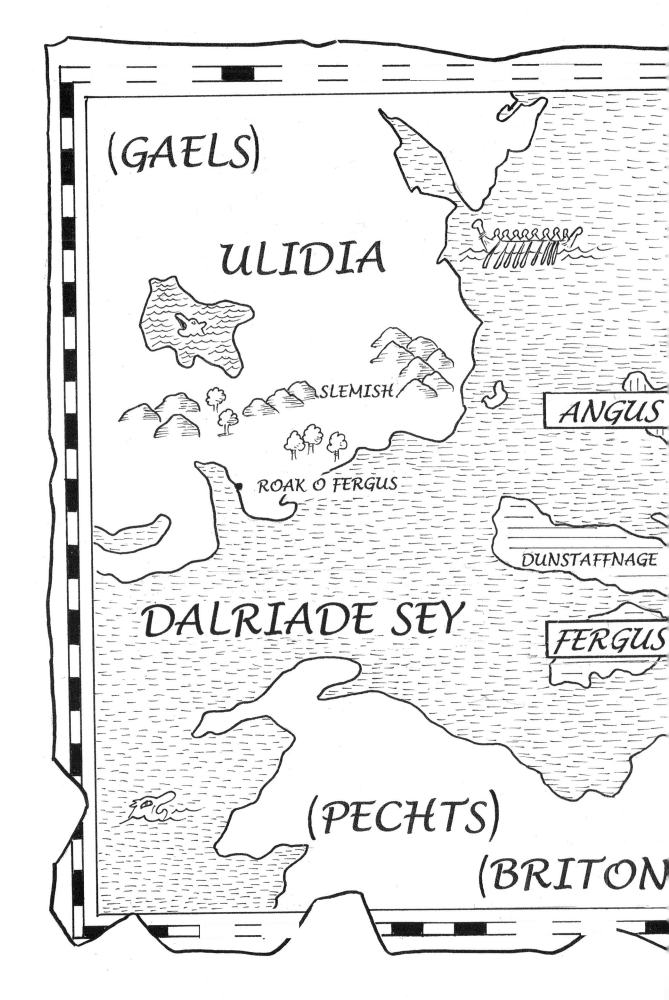

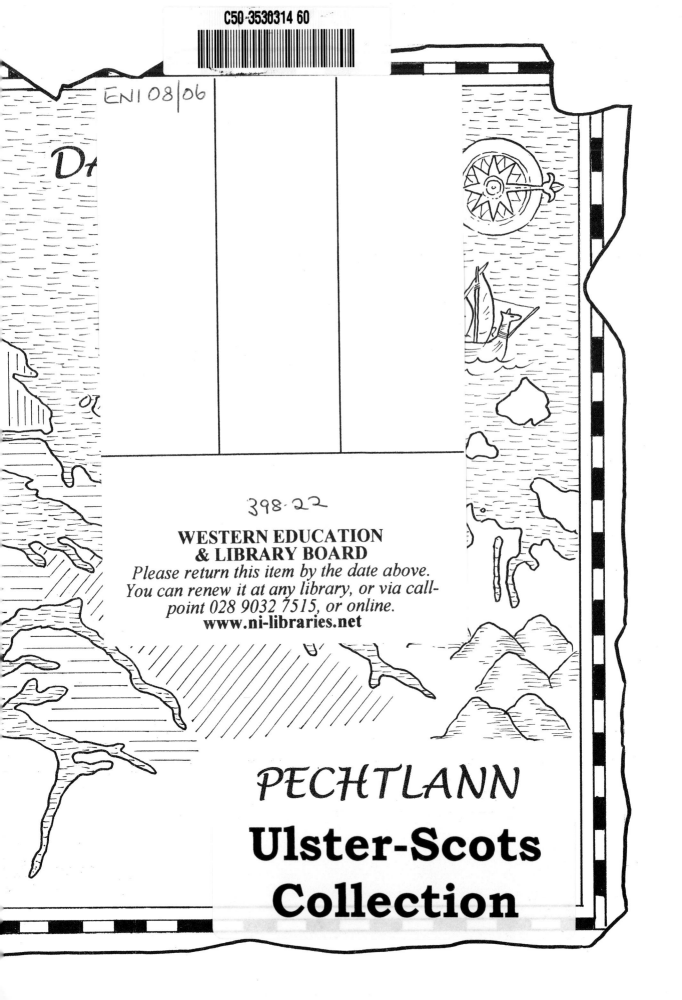

PECHTLANN

**Ulster-Scots
Collection**